KB075993

예고생의 해피엔딩을 위하여
발 행 | 2024년 2월 8일
저 자 | 먹쟁이들
펴낸이 | 한건희
펴낸곳 | 주식회사 부크크
출판사 등록 | 2014.07.15(제2014-16호)
주 소 | 서울특별시 금천구 가산디지털1로 119 SK트윈타워 A동 305호
전 화 | 1670-8316
이메일 | info@bookk.co.kr

ISBN | 979-11-410-7111-0

www.bookk.co.kr

예고생의 해피엔딩을 위하여

먹쟁이들 지음

예고생의 해피 엔딩을 위하여

글/그림 먹쟁이툴

목차

예비소집일부터 생긴
환상과 현실

율채

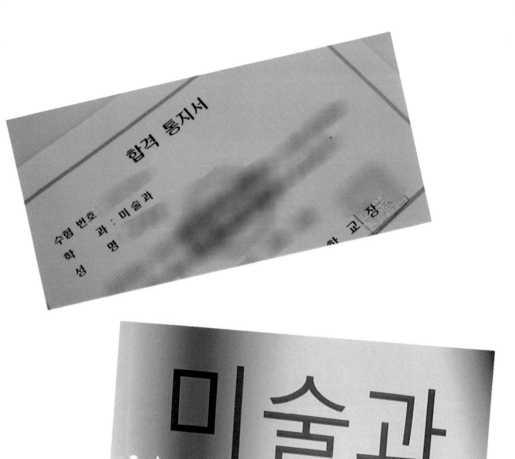

각자 준비한 기간은 다르지만
약 1-2년 정도의 길고도 짧은
입시 과정을 지나고 나서 얻게 된
"합격"은 우리에게 큰 의미로 다가왔다.

이번에 예고 합격했다는 소식 들었어~
매번 열심히 노력하더니 보상을 받는 것
같아 보기 좋구나. 선생님은 항상 너의
그런 끈기있는 모습이 보기 좋았어^^
고등학교 생활은 지금이랑 다르게 많이
힘들겠지만 적응 잘하고 꼭 너가 원하는
목표를 이루면 좋겠다 선생님이 뒤에서
항상 응원할게~

예고 합격 축하해

예고 합격 축하해!!ᕕ(≥▽≤*)o 네가 열심
히 노력한만큼 보상받은 기분이겠다ㅠ
ㅠ고생 많았어 너무너무 축하해!

오전

와 예고합격 진짜 축하한다! 앞으로도 너
가 좋아하는 일 많이 하면서 지내면 좋
겠어 목표를 이뤘다니 너무 멋있다

학교, 학원 선생님, 가족, 중학교 친구들 등
주변의 많은 지인들에게
정말 많은 축하를 받았다.

기
대
가
득

입시를 할 때부터 예고에 대한 환상은 있었지만
예고 합격 이후 환상은 점점 커져만 갔다.

1. 드라마나 게임에 나오는 예고생 캐릭터처럼 화구통 들고 등교하는 학생들

예고생 필수 아이템
화구통

2. 학기 중과 방학 동안 나오는 화려하고
영양가 있고 맛있는 다채로운 급식

3. 분홍색, 파란색, 노란색 등
화려한 머리색들과 히메컷 같은
다양한 헤어스타일, 수 많은 피어싱을 한 많은
학생들

4. 많은 학생들 사이에서 고유한 각자의 개성이나 색,
취향이 잘 드러나는 자신을 잘 표현하는 다양한 옷을
입은 학생들

5. 과제 중에 일어나는
즐거운 일을 공유할 수 있고
변경 사항이 생겼을 때 바로 전달할 수 있는
자유로운 스마트폰 사용

6. 쉬는 시간에 복도에서 들리는
음악과 학생들의 피아노, 바이올린 같은 악기 소리

7. 자신이 좋아하는 작품이나 작가에 대한
나만의 해석을 하거나 친구들의 의견을 들으며
복도를 돌아다니는 학생들

8. 날씨 좋은 날
야외에서 학우들과 이젤을 펴고
자유롭게 그림을 그리는 야외 수업

. . .이 일상이 될 줄 알았다.

하지만 현실은 환상과는 조금 달랐다.

현실은…
화구통을 들고 다닐 일이 그리 많지 않다.
화구통보다는 연필이 가득한
아트키트를 들고 다닐 일이 더 많았다.

애초에 기대가 너무 컸던 탓이기도 하지만,
급식은 기대만큼 화려하지 않은
흔히 생각하는 그런 평범한 급식이었다.

실제로 나온 급식 사진들

또한 피어싱을 한 학생들은
쉽게 찾아 볼 수 있었지만
염색머리나 특이한 헤어스타일은 찾아보기 힘들었다.

게다가 생각과 달리 단정하지만 불편한 교복 대신
편하게 입을 수 있는 실기복이 따로 있었다.
그래서 사실상 사복을 입은 학생들을 볼 일은 거의 없었다.

교복 Tip!
-처음에 교복을 신청할 땐 한 두 치수 크게 사자!
 *여자 하복은 짧고 타이트한 편.
-실기복 신청은 학기 초에 하는데 그 때 여러 벌
신청해두자!

*동복이나 하복보다 편한 실기복을 많이 입게 된다.

* 실기복
= 체육복
= 생활복

휴대폰과 관련해서는 선생님의 재량에 따라
실기가 있는 날에는 휴대폰을 걷지 않는 경우도 있지만
학교 일과 중에는 휴대폰 사용이 금지 되어있다.
+) 방과후 실기 때는 허용된다.

생활 Tip!
스마트폰 사용은 금지되어 있지만
태블릿pc는 학교 일과 시간에도 사용할 수 있다.
실기를 할 때는 자료 참고용으로,
시험 기간에는 공부용으로 가지고 있으면
유용하게 사용이 가능하다.

쉬는 시간에 클래식 음악이 복도에 울려 퍼질 것 같다는
기대와 달리 실제로는 일상적인 대화 소리만 들린다.
무엇보다 교실과 실기실이 멀리 떨어져 있기 때문에
악기 소리는 평소에 듣기 어렵다.

또한 각 과마다의 실기 시간이 겹치는 경우가 드물고
실기 시간은 쉬는 시간이 거의 없기 때문에
타과 학생들과 마주치기 힘들다는 이유도 있다.

실기 시간표

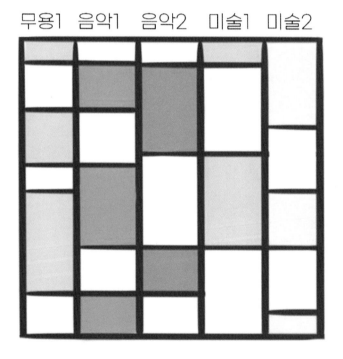

무용1 음악1   음악2   미술1 미술2

+) 앞의 이유들로 인해 각 과 사이에 접점이 많지 않지만
동아리에서 친해지게 되거나 원래 알고 지내던 친구가
있다면 다른 과와 접점이 생길 수도 있다.

친구들과 미술 작품이나 작가를 주제로 의견을 나누는 대화가
아예 없는 건 아니지만 상상했던 것 만큼 많이 하진 않는다.
오히려 미술에 대한 심화 이야기는
수업시간에 더 많이 들을 수 있다.

Ex) 미술이론, 미술사, 토론 등

하지만 날씨가 좋은 날
친구들과 야외 스케치를 한다는 상상만큼은 현실이다!
벌레가 많을 수도 있고, 날씨가 더울 수도 있지만
친구들과 함께 보내는 이 시간은
오래도록 좋은 추억으로 남는다.

드로잉 첫 시간이다. 입학식은 어제 했지만
예고에 들어왔으니 실기시간이 중요하다!
우선 나는 나랑 같이 입시했던 애들의 그림 밖에 몰라
호기심이 앞섰다.
뭐 잘그리는 편이 아닐까하는 기대도 했다.

학원에서도 잘 그린다고 칭찬을 받았던 편이라
자만까진 아니더라도 자신감은 있었다.
선생님께서 칭찬해주시리라 믿었다.

10분 남았다~

결과물

그리하여 못 그렸다고 하기엔 잘 그렸고
잘 그렸다고 하기엔 못 그린 그림이 탄생했다.
입시가 끝나고 너무 오랜만에 한 정물 소묘이기도 했고..

이 긴장한 분위기!
숨막힐 정도로 연필소리 밖에 안 났다.
처음보는 곳에서 낯선 친구들과 그림을 그리니
긴장이 많이 됐다. 거기다 낯선 선생님께서 뒤에 계시니
더 그랬던 것 같다.

아직 난 학교 초보이다..
학교 건물이 연결되어 층수를 헷갈리다 보니
위치가 어디인지 몇 층인지 구분을 할 수 없었다.
갔던 길을 또 가기도 하고 되돌아가기도 했다.

주제를 미리 받았을 때 너무 깊게 생각하다 보니
주제가 더 어렵게 느껴져서
스케치까지 오랜 시간이 걸렸다.

한국화는 우리가 처음 접하는 과목이다 보니
선생님께서 시범을 보여주셨다.
그때 나와 같은 조였던 애들 모두
신기함에 와~소리를 남발했다.

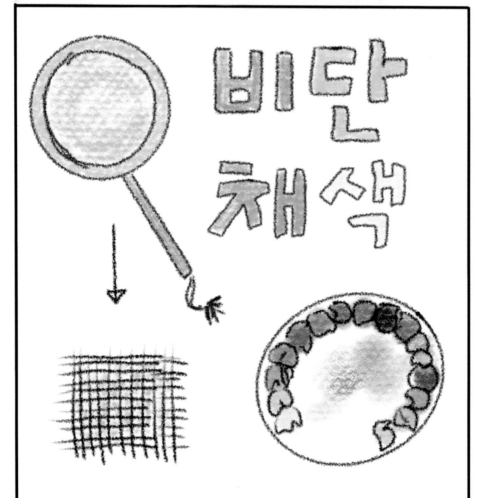

비단 채색은 비단에 채색을 하는 작품으로
비단천의 실 사이사이에 물감 가루가 스며들어
발색이 나타난다.
분위기 있게 채색되는 게 아주 매력적인 기법이다.

수묵은 말 그대로 물과 먹을 주로 사용하는
한국화만의 채색기법이다.
이 과목을 처음 들었을 땐 좀 생소하기도 했지만,
수묵 특유의 번짐인 농담이
너무너무 매력적으로 다가왔다.

붓!

종류가 굉장히 많아 고르기 어렵고
쓰기도 어렵다.
수채화 붓과 달라 먹과 물감을
얼마나 먹는지가 중요하고
붓의 사용도에 따라
그림의 느낌이 달라진다.

화선지!

화선지도 두께가 다양해서
화선지 뿐만 아니라 순지, 옥당지 등등
종류가 많다.
또 물감을 많이 먹지 못해 조금만
거칠게 해도 종이가 일어난다.

먹!

물감과는 차원이 다르게
다루기 어렵다.
먹의 농담을 조절하기 어려워
자신이 원하는 진하기를
나타내기 쉽지 않다.

벼루!

벼루는 말 그대로 먹을 부어
조금씩 덜어 사용할 수 있게 하는 도구이다.

한국화를 하며 어려웠던 점

처음해보는 활동에 적응하는 시간이
필요했다. 신선한 느낌도 났고,
수채화만 경험해본 나에게 미술에
대한 시각을 넓히는 경험이 됐다.
사실 물조절도 너무 어려워 빈 종이
에 몇 번을 연습했다. 화풍도 어려워
이미지도 참고하며 그렸다.

한국화를 하며 좋았던 점

우선 새로운 그림에 눈을 뜨고 동양화의
장점 중 하나인 번짐의 매력에 푹 빠졌다.
할 때마다 새롭고 희열을 느끼게 했다.
세심하게 하는 붓터치도
막노동을 좋아하는 나에게 제격이라는
생각이 들었다.

〈드로잉 시험 전 수업〉

 → +40

20살   60살

할만하군..

드디어 입학 후 첫 실기시험이다.
다른 실기실 애들의 실력을
정확히 모르기 때문에 내 실력을
객관적으로 파악할 수 있는
좋은 기회였다.

실기 시험 직전에 수업으로
기출 문제를 풀었던 걸
되돌아 봤을 땐
꽤 할 만 하다고 생각했다.

BEFORE

하 벌써 다했군.
4시간 정도면 충분하지ㅋ

라며 큰소리 친 나는 ...

이정도는 뭐,

AFTER

사진을 받은 순간

예 - - - 예?

이걸 4시간에요??

나는 망했구나 생각이 들었습니다...

하지만! 내 예상과 빗나간 문제와 너무 긴 시험 시간이 한 순간에 나를 망연자실하게 만들었다.

1시간 경과
오호~ 꽤 빠르군

3시간 경과
Zzzzz

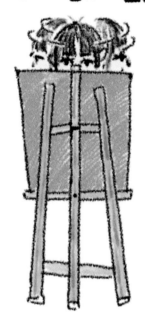

-다음장에서 확인

마음을 가다듬고 스케치 후 소묘를 들어가기 위해
주위를 둘러보았다. 분명 똑같은 사람을 그리는데
모두 다른 사람이 그려져 있었다. 참 신기하다.

사건의 전말
...

그렇다. 나는 잠을 거의 자지 않고
학교에 와 시험을 봤다..

이러한 이유로 나는 거의
밑바닥의 등수를 받게 되었다..

이런 짓은 절대!!
하지 않는 게 좋겠다…ㅠㅠ

야외
스케치

무더운 여름 날,
학교에서 야외 스케치를 하러 갔다.

선생님께 종이를 배부 받았다.
종이 선택은 자유로, 과마다
다른 종이를 선택할 수 있었다.
(ex. 한국화-화선지 / 서양화-4절지)

야외 스케치
명당을 찾아서

적당한 장소를 찾으러 갔다.

여기서…!

"야외 스케치"의

명당은 어딜까?

정답은…!

1 햇빛이 없는 곳

2 바람이 솔솔 부는 곳

3 인적이 드문 곳

4 벌레가 나오지 않는 곳

5 **화장실 근처**

-> 물통에 물을 뜨러 가거나,
손을 씻거나, 볼일을 볼 때 매우 유용하다.

왓츠 인 마이 백

 연필, 지우개

간이 이젤

돗자리

 음료, 간식

 선크림

※수채화 할 때 필요한
도구들

팔레트

붓… 등등…

물을 뜨고,

연필 깎고,

팔레트까지
준비하면,

~두근두근 환상 타임~

-적당한 바람, 온도, 습도…

-노랫소리처럼 들리는 새소리

-평화롭고 따스한 햇볕, 곳곳에
서 들리는 친구들의 웃음 소리
…

.

.

.

-시간이 여유로워 나중에
다 끝내고 남은 시간 동안
포토타임이나 즐길 줄 알았다.

햇빛은 강하고

곤충은 많고..

여러 애로사항이 있긴 했지만
그래도 실기실에서 프린트물로
자연물을 그리는 것보단 훨씬
더 유용했다.

ex) 관찰, 구도 구상…

직접 자연을
보면서
그림을 그리고

친구들과 좋은
추억을 쌓을 수
있어 좋았다.

선배들의 진심이
담긴 미전 이야기

미술 전시회 즉, 미전이라 불리는 것을 하기 위해
1학년 겨울 방학부터 긴 준비를 해왔다.
보통 미전은 자신의 전공과 같은 계열 작품으로
준비하는데 꼭 그래야 하는 것은 아니다.
그래서 나는 한국화 과였지만 조소 작품을 준비했다.
장기적으로 그림을 그리면서 자꾸 늘어지는
지루한 과정도 있었지만 전부 끝나고
완성된 작품을 보니 뿌듯한 마음이 들었다.
아쉬움이 아예 없던 것은 아니지만
장기 프로젝트를 끝냈다는 후련함이 더 컸던 것 같다.
앞으로 살면서 몇 번의 전시를 더 할지 모르겠지만
이와 상관 없이 좋은 경험을 했다고 생각한다.

나는 내 첫 미전을 한다고 할 때 너무 설렜었어.
아무래도 내 온전한 힘으로 작품을 만들어야
한다고 생각하니까 즐겁고 또 부담이 됐어.
선생님들 도움 없이 내가 스스로 해쳐 나가야 하는
과제라고 생각했던 것 같아.
그래서 내가 적극적이여야 뭐라도 얻을 거 같아
다양한 선생님들에게 조언을 구했어.
그래서 그런지 나도 발전하고
작품도 결과적으로 만족스러웠어.
나는 미전을 통해 많은 것들을 배우고 얻은 거 같아.

미전은 주제, 재료, 크기 모두 자유라서
처음부터 끝까지 내 생각을 담아야 했어.
심지어 선생님들의 도움도 거의 받을 수 없는 일이라서
완성하기까지 오랜 시간이 걸리는데
난 그림의 전체적인 디테일에 꽤 많은 시간을 썼어.
오랜 시간 많은 노력과 집중력을 쏟아부어야 하는
힘든 작업이었지만 제대로 그려보는
나의 첫 작품이라는 사실과 미전을 준비하면서
밤 늦게까지 학교에 남아 친구들과
함께한 시간 덕분에 힘들다는 생각 없이
즐거운 마음으로 작업을 끝낼 수 있었던 것 같아.

↑ 미전 추진 위원회
부위원장

1학년 때 봤었던 미전을 상상하면서 꿈을 키웠기에
작품을 멋지게 그릴 거라 생각했다.
하.지.만 그것은 모두 꿈이었을 뿐...
현실은 생각한 걸 그려내는 것조차 힘들었다.
열심히 했지만 다른 걸 해보라는 말에
지우고 그리기를 반복했다.
그림 크기는 내 한계를 넘을 만큼 크게
하고싶어서 꽤 큰 크기로 진행했다..
(굉장히 오래 걸렸음…)
처음 해봐서 낯선 기법과 화풍으로 그리려니
고민도 도전도 조사도 많이 했다.
겨울 방학에는 학교를 집처럼 드나들며
거의 매일 미전을 했다.
심지어 나는 미전추진위원회에 들어가서
미전책자와 엽서 발주까지 의논했기에 힘들었지만
미전 포스터를 받고나서 대단한 일을 해낸 것 같아
뿌듯했다.

미전당일!
작품 설명이 너무너무 긴장되면서도 고민이었다.
작품을 그릴 때 하나하나에 연결되는 의미를 가지고
그린 게 아니어서 갑자기 설명 하려니 어렵기도 했다.
엽서 뒷면에 사인을 하면서 지인들과 선생님들께 드리니
드디어 끝났다는 후련함도 느껴졌다.
흰 벽에 걸리니 그림에 대한 아쉬운 부분도 많이
보였는데
모두의 칭찬에 3~4달간 고생한 보람을 느꼈다

+자신의 작품은 아주아주 소중하게 보관해야 함.
안 그러면 나처럼 찢어짐..

미전을 내가 직접 하기 전에는
저런 그림을 내가 어떻게 그리지..라고 생각했지만,
막상 하는 동안에는 빨리 끝내고 싶다는 마음이 컸다.
어쨌든 나의 첫 대표작이 미전에 전시되는 거라
그저 단순하고 간단하게 그리기 보다
평소보다 더 집요하게 그리고 싶었고
미전을 준비하는 기간 동안은 계속 머릿속에는
미전 생각밖에 없었던 것 같다. 그렇게 몇 달을 미전
준비하는데 쓰고 드디어 전시 당일이 되었을 때
친구들과 서로의 그림을 감상하며
미전이 나를 한 단계 더 성장할 수 있게 하는
계기였다고 생각한다.
지금 돌이켜보면 아쉬운 부분이 많지만
그래도 값진 경험 중 하나가 된 것 같다.

미전 기간에 있었던 일

미전 작품 종이가 망가지지 않도록
담요로 덮어뒀었는데 담요의 무늬를 망각한 율채와
미전을 위해 쉬는 날 아침부터 학교에 가서
동그란 눈을 보고 많이 놀랐을 수박이...

미전을 하면서 밤에 늦게까지 남아 있게 되는데
 집중력이 고갈되어 갈 때 친구들과 학교 구경을 했다.
미전을 막 시작 했을 때 우린 1학년이어서
학교의 구조를 잘 몰랐었다.
그러면서 발견한 어느 전공 실기실에 있는
차량 좌석과 박제된 무언가...

처음 같은 과 친구들과 만났을 때, 서로 다른 친구들이
한 곳에서 모여 친해지는 것은 쉽지 않았다.
서로 어색하기도 했고 친해지는 데 시간이 걸렸다.

이제는 너무

친해져버렸다.

교우관계와 더불어 중요한 것은

바로!!

실기!!

처음엔 그저 동양화가 좋아서 과를 선택했지만,

동양화를 실제로 해보니..

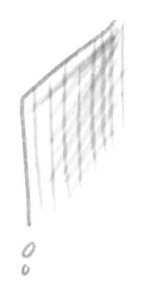

얇은 화선지!!

무가 이렇게 얇아

붓이 머금고 있는
엄청난 물 양!!

물 조절 실패.

번짐 효과!!

번진다...

등으로 난감한 적이
한 두번이 아니었다고 한다…

하지만 사람은 적응의 동물이다.

아직도 나는 동양화가 많이 어렵다.
그래도 시간이 흐르고 나니 점점
적응해가는 것 같다

신청하기 낭비

상태하기

호우

덕원 동산에 나가서 친구들과 함께 벚꽃 보며
풍경을 그렸던 것이 가장 기억에 남는다.

그리고 모델 수업을 하며 모두와 함께 발전한 것
같아 뿌듯하고 또 뿌듯했다.

감꽃이 너에게

기억 감거요 시간이

이유.

전공 선생님께서는 우리가 전공에
홍미를 더 갖도록 많이 도와주신다.

그리고 친구들과 우리들의 그림에 대해 이야기를
많이 함으로써 눈을 키워가는 것과

여러 간식들을 구비해두고 중간중간
당충전을 할 수 있는 것도 큰 이유이다.

1 - 0.8 + 0.5

매출?

다음 한국화의 매력은 번지는 것과
먹을 쓴다는 것이다.

먹을 써서 동양화로만 표현할 수 있는
특유의 느낌이 있다고 생각한다.

또한 자유롭게 선을 써서 회화적으로
표현하는 것도 동양화의 큰 매력이다.

하면 할 수록 어려운 것이
한국화 이지만,

내가 전공을 잘 선택한 것
같아 감사하고 또
감사하다.

전공 고르기 전에

전공을 선택할 때엔 부수적인 것들을 제치고
내가 이 전공을 할 때 즐겁고,
계속 발전하도록 노력하는 내 모습을 볼 때
정말 전공을 사랑하게 되는 것 같다.

어느 날 단톡방에 글 하나가 올라왔다.
몇 주 후 열리는 대학교 실기대회를 신청하라는 글이었다.

미술용 아트카ㅊ 아트박스
최저 15,000원★

선생님께서 보내신 글에는 접이식 카트 구매 링크도 함께였다.
대회에 나갈 때 필요하니 필수로 사야한다며 빨리 구매하라 하셨다.

***접이식 카트는 바퀴가 4개 달린 것으로 사는 게 좋다.
(이유는 뒤에 나온다.)

하지만 알고 보니 대회 신청은 필수가 아니었고 대회에 나가고 싶은
마음이 없었던 나는 괜히 신청했다는 생각만 들었다.
선생님은 이왕 신청한 거 열심히 해 보자며 나를 격려해 주셨고
나는 곧 체념했다.

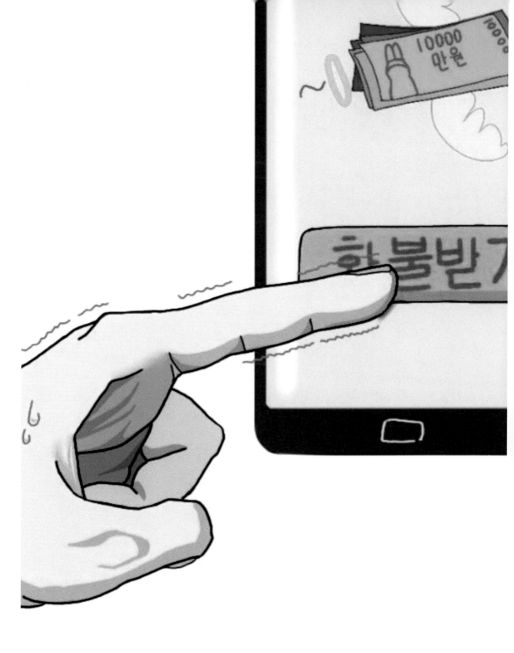

선생님의 격려 덕분에 체념했다기보단
대회 신청비만 7만원이었고 신청 취소 시 환불도 안 해준다기에
어쩔 수 없이 눈물을 머금고 환불 신청을 하지 않은 것이었다.

오전반

① 정물

② 인체

오후반

① 정물

② 인체

대회는 1부와 2부로 나뉘는데 그 중에서도 또 정물반과 인체반이
나뉜다.
물론 유출될 가능성이 있기 때문에 1부와 2부의 문제는
다르게 나온다.
나와 친구들은 선생님의 권유로 모두 인체반을 선택했다.

문제는 여기서부터였다.
무엇보다도 내가 걱정됐던 건 실기대회라 하면
역시 천하제일미술인을 뽑는, 최강들만 모이는
그런 대회가 아닌가.. 그렇게 생각했었다.

하지만 나와 친구들은 한국화에 입문한지 몇 달 되지도 않은 초보였고, 심지어 인체 전신은 단 한 번도 그려본 적 이 없었다!

대회 당일까지 단 두 장의 인체 전신을
그려본 나는 될 대로 되라는 심정으로
비장하게 대회가 열리는 대학으로 향했다.

그리고 여기서 내가 왜 접이식 키트는 바퀴가 4개 달린
것으로 사라고 했는지에 대한 이유가 나온다..

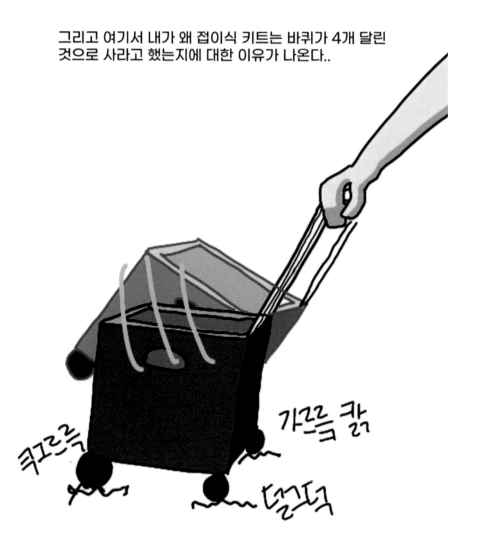

바퀴가 2개만 달린 카트는 방향 전환도 잘 안 될 뿐더러
끌 때 거친 소리가 크게 나 주변 사람들의 눈치를 보게
만든다.

그렇게 시끄럽게 카트를 끌며 도착한 대회 장소는..
뭐랄까 긴장했던 것이 무색할 정도로 그냥 평범한
대학 정문이었다.
나는 지도를 보며 길을 찾아 시험이 열리는 곳을
찾아갔다.

시험장 안으로 처음 들어가면 이젤로 가득
차있다. 이 곳에서 자신의 이름과 정보가
적혀있는 이젤을 찾아 앉아야한다.

시험장으로 들어서면 정말 많이 떨릴 수도 있다.
적당한 긴장감은 좋지만 그게 만약 그림에 영향을
줄 정도라면 이것 하나만 기억하면 된다.

시험장 안에 있는 모두가 같은 마음이란 것이다.
다른 학생들이라고 뭐 천하제일미술인 같은 것이 아니니
이 사실을 기억한다면 부담이 조금은 내려놓아질 것이다.

자리를 찾아 앉으면 물을 떠와야 하는데 화장실에서
물을 떠오는 대신 학교측에서 커다란 통에 받아놓은
물을 물통으로 퍼내서 써야 한다.

물론 대회가 끝나고 물을 버릴 때도
마찬가지로 이 통에 버려야 한다.

여기서 접이식 카트의 쓸모가 드러난다.
카트 위에 뚜껑을 덮고 그 위에 파레뜨와 벼루,
먹접시를 올려 책상 대용으로 사용하는 것이다.

자신의 그림 실력에 자신이 없어도 괜찮다.

시험 도중 눈치를 보며 눈을 굴려보면

세상에 정말 잘 그린다 싶은 학생들도 있는 반면,
이게 맞아? 싶을 정도로 못그리는 학생들도 있다.

여태 긴장한 게 무색할 정도로 다양한 사람들이 많았다.
그러니 그때부터는 주변이 아니라 내 그림에만 신경을
쓰면 된다.

몇 시간 동안 집중해 그림을 그리고 나면 진이 다 빠져
입 벙긋할 기운조차 아끼고 싶어진다.

집으로 돌아가는 길은 기운이 다 빠진 채 아무 말
없이 멍한 상태로 계속 걸었던 것 같다.

창문 밖으로 보이는 풍경을 보다 보면 괜히
센치해져 버린다.
집에서 나올 때는 비장한 마음이었지만 돌아가는 길은
공허하기 짝이 없다.

하지만 막상 대회에 나갔다 와보니 역시 나가보길 잘했다는
생각이 들었다.
나가지 않았다면 이 글도 쓰지 못했을 텐데 한 번의 경험으로
새롭게 알게 된 것이 많으니 알찬 하루였다고 생각한다.

갱
@kangmk060707gmail.com

박가희
engga0905@naver.com

율채
chyul4562@gmail.com

수박
soobbin06@gmail.com

박시현
onyeah27@naver.com

표지 : 율채, 수박
편집 : 박시현, 율채
글, 그림 : 먹쟁이들 전원